The Original
SUDOKU

This is a Carlton Book

All puzzles copyright © 2005 Nikoli, in association with Puzzler Media
www.puzzlermedia.com
Layout copyright © 2005 Carlton Books Limited

This edition published in 2005 by Carlton Books Limited
20 Mortimer Street
London W1T 3JW

A CIP catalogue for this book is available from the
British Library

ISBN 1 84442 299 2

Typeset by E-type, Liverpool
Printed in Great Britain

The Original
SUDOKU

Addictive, hand-crafted number
puzzles from the Japanese inventors

Contents

Introduction

I was dining at a restaurant near London with Japanese publishers Nikoli when a woman at a nearby table leaned across and asked "Are you responsible for those bloody Sudoku puzzles? They're keeping my husband awake all night. I can't get any sleep."

Somewhat sheepishly, I had to admit that yes, I might have been at least partially to blame. As Publishing Director at Puzzler Media – the world's largest provider of puzzles – I was responsible for the first appearance of Sudoku puzzles in the UK, nearly two years ago, and also behind the country's first magazine dedicated to Sudoku puzzles. My companions at dinner had created the Sudoku puzzle as we know it today, as long ago as 1984.

The puzzle itself is disarmingly simple, hardly the kind of thing that you would think could cause sleepless nights. It involves arranging the digits 1 to 9 in a nine-by-nine grid so that no number is repeated in any row, column or three-by-three box. Some numbers are given.

Since *The Times* started to run a daily puzzle, almost all of the national newspapers have followed suit. A massive and fervent audience has suddenly materialized for this diminutive and unassuming puzzle. The pace of its ascent has left us a little breathless. Who could have guessed this would happen? What is it about this puzzle that has so captured the public imagination? Where does it come from? Read on...

Tim Preston

History of Sudoku

Many thousands of years ago, when we were preoccupied with the arrowheads and the wheel was the big new thing, the slightly more sophisticated Chinese became tremendously excited about magic squares – a mathematical novelty – in which the sum of all numbers in a row or column were identical. It took us a little time to catch on.

In the 18th century, the extraordinary Swiss mathematician Leonhard Euler (who gained a master's degree at 16), who was responsible for much of the notation that is standard today, described the Latin square, where symbols were so arranged that they didn't occur twice in the same row or column.

Nineteenth century puzzle pioneers Sam Loyd and Henry Dudeney popularized mathematical conundrums, but it wasn't until the 1970s that a puzzle called Number Place appeared in an American magazine published by Dell. The puzzle didn't have a big impact in the Western world, possibly because number puzzles have traditionally played second fiddle to word-based puzzles such as crosswords. In Japan, it was a different story. Written Japanese is a complex mix of Chinese characters (kanji) and two forms of syllabary (kana) that developed from characters used phonetically: hiragana (plain kana) derived from cursive forms of one set of characters and katakana (partial kana) derived from another. Are you still with me? The point is that the complexities of the Japanese language meant that, for the Japanese, number puzzles were far more popular than word-based puzzles.

The Japanese publishers Nikoli imported the Number Place

puzzle and made it their own by insisting that the starter numbers were always positioned in a pleasing symmetrical pattern. The puzzle was originally called *suuji wa dokushin ni kagiru*, which translates roughly as 'single number'. Thankfully, this name was shortened to Sudoku.

On a trip to Tokyo in 1997, these puzzles came to the attention of a puzzle enthusiast and retired judge from New Zealand called Wayne Gould. In his spare time over the next six years, he devised a computer program and website dedicated to Sudoku. On a trip to London last autumn, he demonstrated the program to The Times. Features editor Michael Harvey was immediately struck by the ingenious nature of the puzzle and decided to put it in the newspaper. Within a few short weeks, the puzzle had appeared in all of the national newspapers.

My own introduction to the puzzle was somewhat different. Puzzler Media sponsors the UK team at the World Puzzle Championships. This is an annual event at which the world's best puzzlers come together to solve a range of difficult, language-independent puzzles as quickly as possible. At the 2003 World Puzzle Championships in Arnhem, I met Jimmy Goto from Nikoli and he talked me through the puzzles that his company had designed. I was hooked immediately on a number of them and on my return to the office, tried to elicit support from my colleagues to publish a magazine of Japanese puzzles. Needless to say, enthusiasm was muted; as I said earlier, number puzzles were something of an anathema at the time in the UK. Nevertheless, we started to introduce the puzzles in several of our titles. There wasn't a huge response until the newspapers decided to outdo one another with their own enthusiasm for Sudoku.

The puzzle has travelled the world in various guises and is now starting to appear in Australia. Working in conjunction with Nikoli, we have introduced the puzzles to various European countries and levels of interest remain very high.

It is hard to say how long this level of enthusiasm will last, but the puzzle is definitely here to stay, and we won't be running out of puzzles any time soon. The number of possible solutions has been calculated as 5,184 to the power of 9!

How to Solve Sudoku Puzzles

The rules of Sudoku are very easy to understand and they bear repeating: the object is to place the numbers 1 to 9 in each empty cell so that each row, each column and each 3x3 block contains all the numbers from one to nine.

Let me say straight away that the best approach to solving Sudoku puzzles is to dive straight in. If it helps, tell yourself that solving a Sudoku puzzle requires no knowledge of mathematics. If you can count to nine, you can do it!

Having said that, let me describe three basic solving tips.

1 Stepping stones

Study the picture below 9 and look particularly at the central 3x3 block. You have to place a number 1, but it can't fall in the same row or column as any other 1. In this instance, there's only one position for the 1. Using this method, you can quickly identify the positions of the other 1s.

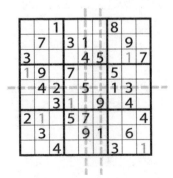

2 Row, box and column

It is possible to zone in on a single cell and, by taking account of the other numbers in the row, column and 3x3 box in which it appears, identify the digit that must appear in that cell. Look at the shaded cell in the picture below. If you consider the numbers that are already in the row, the column and the 3x3 box, you can see that the only number that can fit here is an 8.

4		1	9		7	8		3
	7		3	1		4	9	
3		9		4	5		1	7
1	9		7	3	4	5		
	4	2		5		1	3	9
		3	1		9		4	
2	1		5	7	3	9		4
	3		4	9	1		6	5
9	5	4				3		1

3 Exceptions

This is a slightly more tricky approach. Here, you need to consider which numbers cannot go in certain cells. Take a look at the picture below. In the central block at the bottom of the grid, we know that we need to place the numbers 2, 6 and 8. We don't yet know the order, but we know they are there. This means that these numbers (2, 6, 8) can't go in any other block along that row. Now, if we look at the bottom-left block, along the bottom row, we can see that the only number that will fit in the empty cell is a 5.

4		1	9		7	8		3
	7		3	1		4	9	
3		9		4	5		1	7
1	9		7	3	4	5		
	4	2		5		1	3	9
		3	1		9		4	
2	1		5	7	3	9		4
	3		4	9	1		6	
9	5	4	268	268	268	3		1

If you can master these three rules, you're well on the way to becoming a Sudoku Master. Don't rush, never guess, and you'll get there. Good luck!

4	2	1	9	6	7	8	5	3
6	7	5	3	1	8	4	9	2
3	8	9	2	4	5	6	1	7
1	9	8	7	3	4	5	2	6
7	4	2	8	5	6	1	3	9
5	6	3	1	2	9	7	4	8
2	1	6	5	7	3	9	8	4
8	3	7	4	9	1	2	6	5
9	5	4	6	8	2	3	7	1

Easy

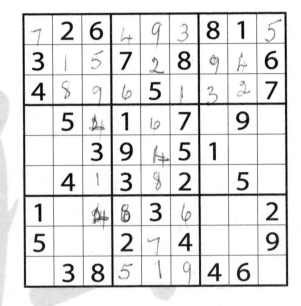

	6	3			2	4	1	
4			5		8			7
8			1		3			6
9	8	7				1	4	
				3				
	2	4				6	9	5
7			2		1			4
6			3		9			1
	1	8	4			7	3	

2	5			4			7	1
7			9		1			2
		6		7		5		
	6		2		4		1	
4		1				2		3
	9		6		8		5	
		5		2		8		
9			7		5			4
6	3			8			2	5

			9	5	6	4	
		6				8	2
		8		4	9		5
4	6	1		3	5		7
2			5				8
3	5	7		9	2	6	
4	8	9		7			
1	2			8			
6	7	3	4				

2	6				3			1
				8		4		7
	8	3	7			9		
1						5		
	9			4			8	
		2						3
		8			2	6	9	
6		4		1				
5			6				2	8

8			7					2
		6	4		2	8		
	5			3			1	
	1		5		4		2	
2		5				6		7
	3		2		7		5	
	2			1			3	
		9	7		3	4		
3				4				8

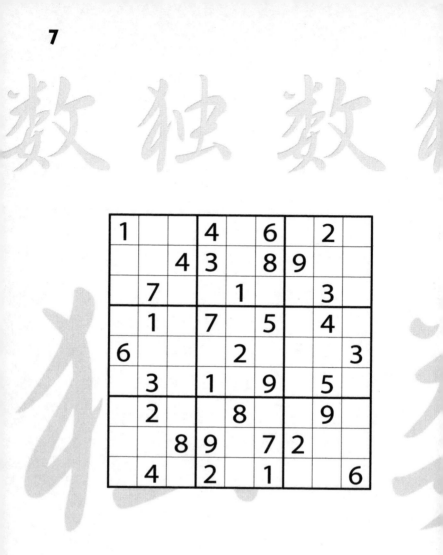

			5		4		1	
6	8				9		7	
		9				3		
3	5			7				8
			2		1			
1				4			5	9
		2				5		
	9		3				4	2
	4		6		8			

	5	7					2	4
	9	8					1	3
			3	7				
2	3			8	9			
7	6						8	5
			4	6			3	7
			9	2				
8	1					4	6	
5	2					1	7	

4	3			1			8	9
6			9		8			1
		1				2		
	4		3		7		9	
8				2				3
	5		1		9		4	
		8				6		
5			8		4			7
2	7			3			1	8

数独 数独 数

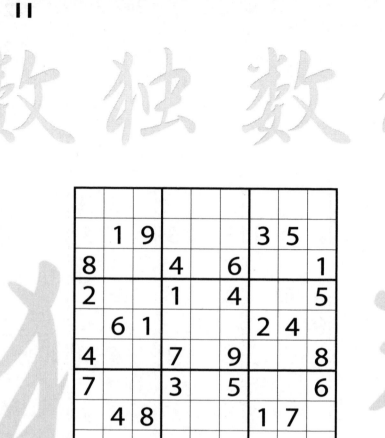

					2			1
		1			9	6		
	9	5				7	4	
2	6		5		3			
			8		1		9	3
	3	7				1	8	
		9	4			5		
4			6					

		9	5	1	8	6		
	8						7	
5		1				2		8
3			7		6			2
9								5
4			8		9			3
1		3				4		7
	4						8	
		6	1	2	4	3		

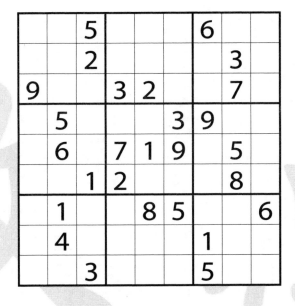

	7	6						
	3		8				2	6
		4		6		9		1
			6		8		5	
		3				8		
	2		4		9			
8		7		1		2		
9	6				7		3	
						5	4	

		8				6		
			1		2		4	
7		2		8				5
	5		9	2			8	
		1	6		7	9		
	4			5	3		1	
1				6		8		2
	8		7		4			
		3				1		

9	4		1		2		5	8
6				5				4
		2	4		3	1		
	2						6	
5		8		2		4		1
	6						8	
		1	6		8	7		
7				4				3
4	3		5		9		1	2

				5	1	6		
	4	9	3				7	
8				6			9	
4				7			3	
2		7	6		9	8		5
	9			8				7
	8			9				3
	2				7	1	6	
		3	8	4				

4			8				1
	5		1		7		3	
		2		4		6		
	8		7		1		5	
5		6				2		3
	9		6		2		4	
		3		1		4		
	2		3		4		6	
1			6				7

		3		9		1		
	5		3			7		
1		2			5		6	4
	1			2		9		
2			6		3			1
		7		8			3	
7	6		9			8		5
		8			7		9	
		4		6		2		

2		1			6	7	8	
			2				3	6
8		9		3				5
	7				4			2
		6		9		5		
9			5				6	
5				4		9		7
7	1				3			
	9	8	7			2		3

		1	2		6	8		
		3		4		9		
5	7						1	4
1			5		3			2
	2						6	
3			7		9			8
6	1						7	9
		5		9		2		
		9	6		7	3		

数独 数独 数

1	2		5	6				
3	4		7	8			2	9
							3	1
		1	3					
		2	4		5	7		
					6	8		
6	8							
7	9			1	2		5	6
				3	4		7	8

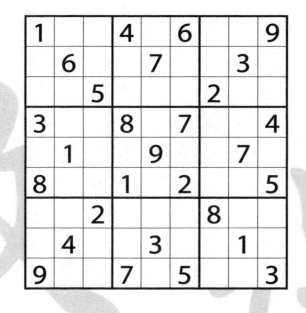

6		4	1					5
	5			3			7	
3					8	2		
		2						6
	9		7		3		2	
5						4		
		3	5					2
	2			4			1	
8					1	3		9

		2	3		7	1		
	4			1			2	
3			8		2			5
1		7				2		6
	3						8	
4		8				9		7
6			1		5			8
	9			8			1	
		1	2		3	4		

9								7
	1	7	9		4	6	5	
		3				8		
	9	4	6		3	1	7	
	6	8	7		2	5	9	
		1				2		
	3	5	2		8	9	4	
6								8

	7			1			5	
4			9			6		3
		1			6		8	
	5			7		3		
6				8		9		1
		2		4			6	
	6		2			1		
5		3			8			2
	9			5			7	

4			3		5			7
	1	5		7		8	6	
	8						3	
1			4		8			9
	9						5	
5			6		2			3
	7						8	
	2	3		1		9	4	
8			9		6			1

	1	2				5	7	
6			5		1			4
4				2				8
	2			1			5	
		4	9		7	8		
	7			8			1	
7				9				5
5			4		8			6
	3	8				9	4	

2								3
		7		4		9		
	1		9		6		5	
3			7		8			5
6	2						1	7
5			1		2			6
	8		6		9		2	
		4		3		5		
9								1

	3			5				
9			3		1	8		
		4					7	
	8			2	4	9		
	1						3	
		7	9	6			4	
	5					3		
		6	4		5			1
				7			6	

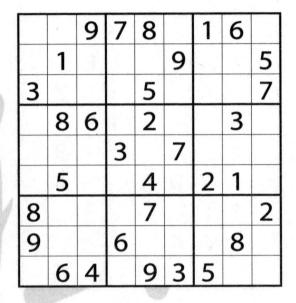

8	1	4						
7	2	1		3	5	6		
				9	8	2		
9	3	6						
1	5	2		7	9	4		
				8	2	3		
5	8	3						
4	9	7		6	3	5		
				5	6	1		

	9			3			7	
2	6						4	3
		3	1		4	8		
		6		2		3		
8			9		3			1
		7		1		9		
		1	2		9	4		
3	8						1	7
	2			7			9	

9	7						5	
		4	9					2
			3	5	6			
8					7	3		
	5	1				2	6	
		6	8					5
			7	1	4			
3					9	6		
	2						8	4

		8	6		7	4		
	9			5			2	
2				1				3
8			5		3			1
	4	3				5	7	
6			4		9			8
3				4				5
	1			9			6	
		9	7		2	8		

数独数

	1			2			3	
8			9		7			6
		2				5		
	7			8			1	
1		3	4		6	7		9
	9			7			4	
		6				9		
2			5		1			8
	3			9			6	

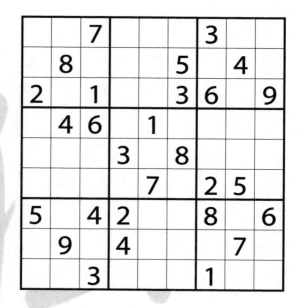

1	2	3	4			9		
			5			8	7	1
			6					2
	9	8	7					3
				5				
5					3	2	1	
7					4			
9	3	2			5			
		1			6	7	8	9

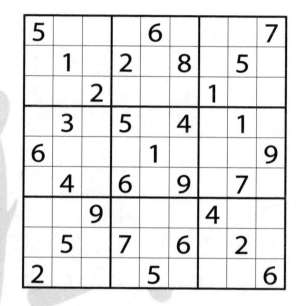

	8		4		5			
4		1				6		
	6			1			4	
7			2		4			8
		3		5		7		
9			6		8			4
	7			9			3	
		8				2		5
			3		1		6	

		5	2			7	6	
	6	2					3	
3	7			4	8			
4					7	3		
		9				6		
		6	3					2
			5	9			7	6
	8					4	2	
	9	7			2	5		

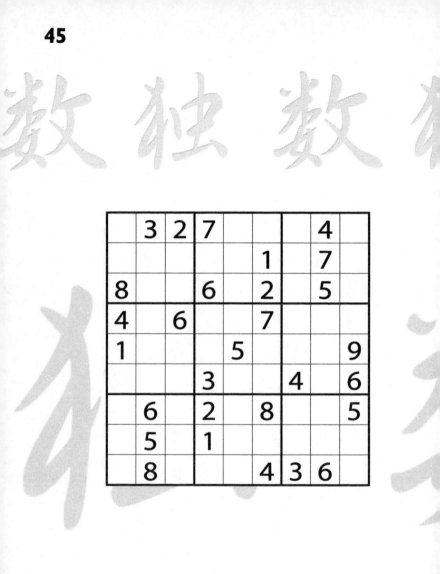

Medium

				9	7	4		
			2				5	
				3	6			1
	7				1	9		3
3		6				5		7
4		2	3				8	
9			4	5				
	5				3			
		4	1	2				

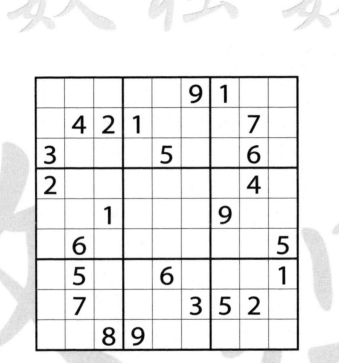

				1	9			
	5					4	2	
	4				6			
7		1						
6				8				9
						8		4
			2				6	
	9	5					1	
			7	3				

	8		5				2	
1				7		9		6
	3				4			
		5						3
	7						8	
2						1		
			1				4	
6		2		9				5
	4				3		9	

				6	9			4
	8				4			
2						8		
						3	2	
	4			8			5	
	9	6						
		3						9
			5				6	
5			2	7				

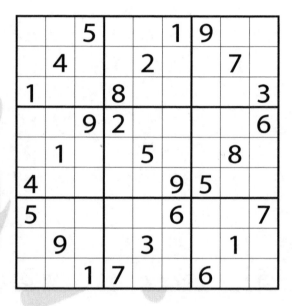

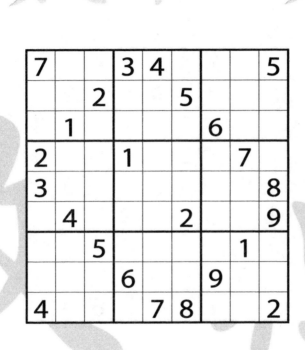

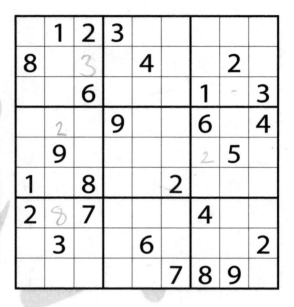

7								5
		3	4		5	6		
	2						7	
	1			2			8	
		6			7			
	8			9			3	
	7						2	
		4	2		3	8		
6								4

3	4							5
		7		4	6			1
							9	
	3		5		7			
	6						8	
			1		9		2	
	5							
1			8	3		9		
2							4	7

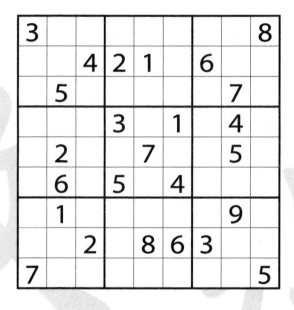

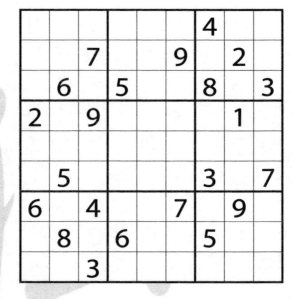

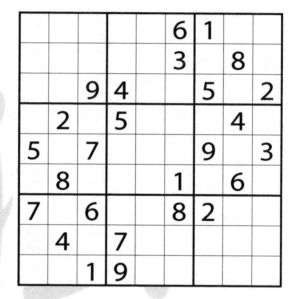

			7		8			
4		5		6		7		8
	3		4		5		6	
1		2		3		4		
		6		7		8		9
	4		5		6		7	
2		3		4		5		6
			2		3			

		3						
	9		1				4	8
	5			3		6		
7					8		6	
5								1
	2		6					9
		6		4			3	
8	4				5		7	
						9		

						8	5	
1	4						6	
8				7	3			
		5	3		7			
		3		9		2		
			2		5	3		
			1	3				2
	8						9	4
	9	6						

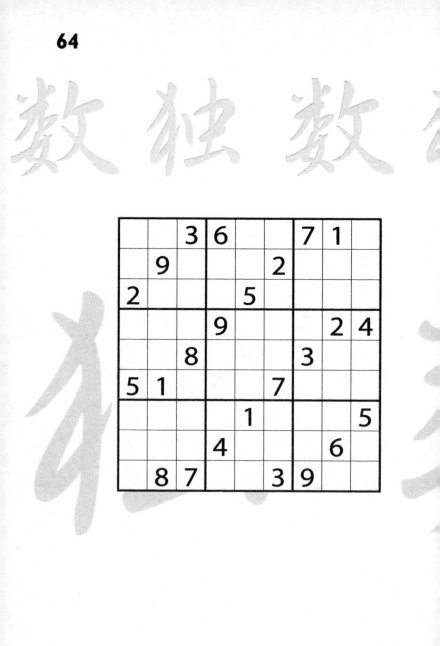

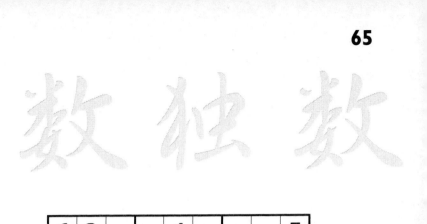

6	3			4				5
5			2				8	
		4			2			
	1		4		5			
3				9				2
			6		2		1	
		1				5		
	6				3			1
7				8			4	9

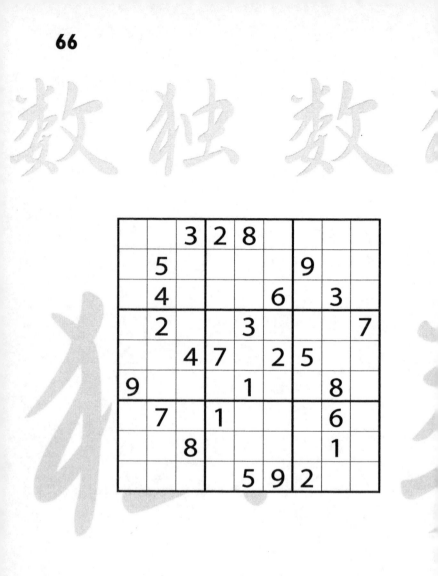

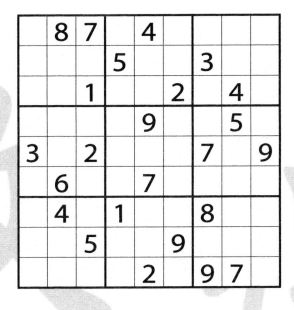

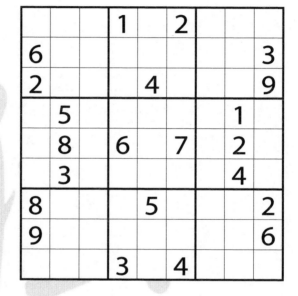

				2	4	7		
	1						5	
		8						3
		2	5					7
	4			3			8	
6					9	1		
7						9		
	3						6	
		5	8	1				

	6		7				8	
5				3				2
		1				7		
			9		8			3
	7						9	
4			1		6			
		6				1		
3				8				5
	4				2		7	

	1			7			4	
4			9		2			8
		7				3		
	2			5			7	
5			6		7			2
	8			2			5	
		4			6			
8			5		1			3
	6			8			9	

4	3				5			6
					7		8	
		2		6			1	
5	8					7		
		6					9	3
	7			3		4		
	9		2					
3			1				6	5

	1					9	7	
8			3					5
9			2					
				1		4	5	
			4		3			
	6	5		7				
					8			2
1					9			4
	4	6					1	

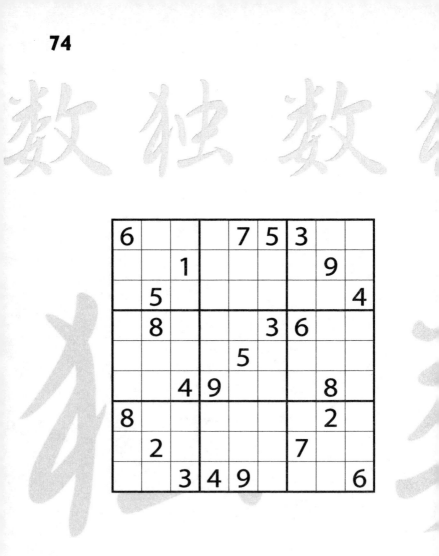

1	3							
2	4					5	3	
		7	1					
		6	4		8	3	7	
	7	8	9		3	4		
					9	2		
	5	1					4	9
							8	6

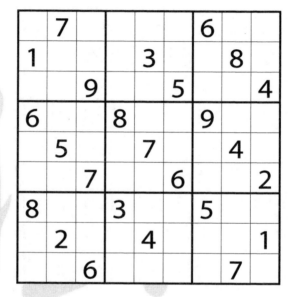

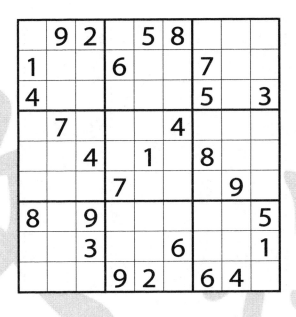

	9	2		5	8			
1			6			7		
4						5		3
	7				4			
		4		1		8		
			7				9	
8		9						5
		3			6			1
			9	2		6	4	

7					1	6		
4	5							
			9	2				
			1			5	3	
	2						8	
	9	8			7			
				6	4			
							9	8
		1	5					7

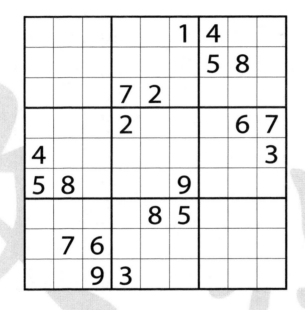

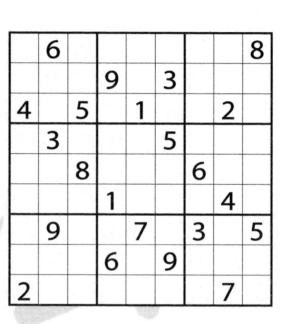

4						1		8
	5						2	
7			3		9			
		9	7		6	4		
		1	8		5	6		
			5		8			7
	6						9	
8		3						5

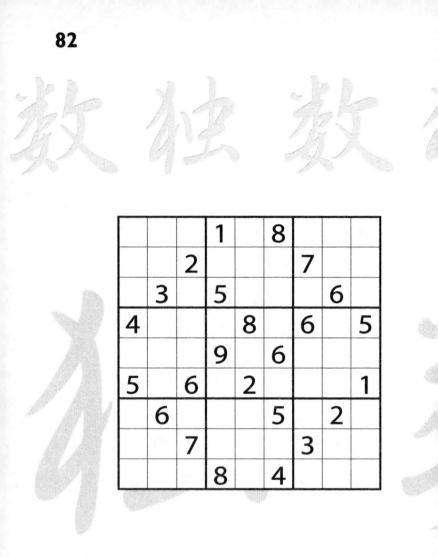

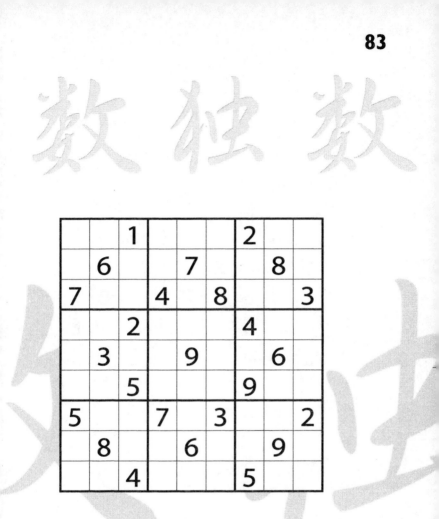

	3			9	6	8		
9			2				4	
		8		1			6	
		9			1			8
2		4				5		1
7			8			6		
	5			8		3		
	9				5			6
		3	1	6			2	

	7	2					5	1
8	1			2		9		
			6		3			
	5				6			
		9				6		
			3				2	
			8		9			
		5		6			4	8
4	8					1	7	

							3	
	8	7	5				9	2
	6		3					
	2		4					
	9	1	6		8	7	5	
					9		4	
					6		1	
5	7				4	9	8	
	3							

		7				3		
			6				1	
2			8	4				5
		9			1			7
	5						4	
8			2			6		
4				7	8			2
	6				5			
		3				1		

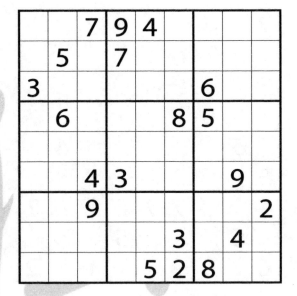

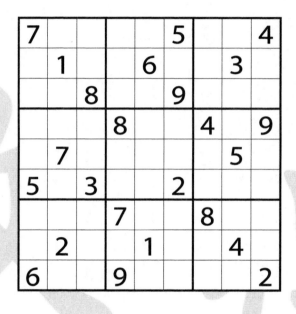

6		5						1
			4	1				
		9		2		8		4
			1		2		5	
	1	2				3	4	
	7		8		9			
2		3		8		4		
				9	6			
7						9		3

			6	5		8		
		7						
3		5				4	9	
			8		4			2
1								6
5			9		3			
	8	9				2		5
						3		
		6		4	1			

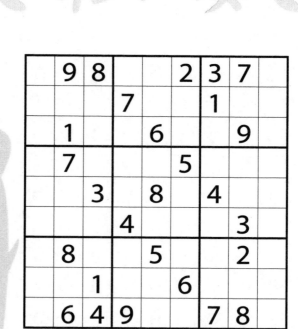

1	5						7	4
4			1	6	9			3
		2						
		1						
5			7	4	8			9
						2		
						9		
6			3	9	1			2
7	9						8	6

	8			5			4	
9			4		6			3
		3				7		
	2			7			8	
1			2		8			9
	7			6			1	
		6				2		
4			5		3			7
	3			4			9	

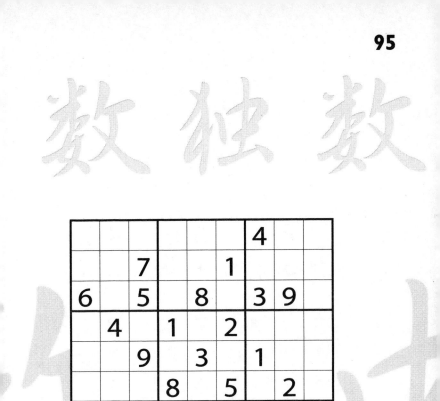

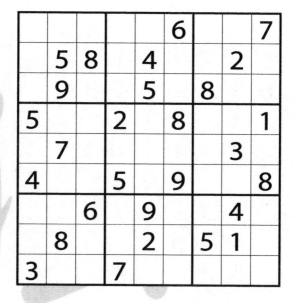

		8				1	
6				5	4		
	9				4		
		1		2			9
	8		4		1		7
5				9	6		
		2				8	
	9		6				2
	3			7			

	3		2		6	5		
			3					8
		4			9			7
		5			8		6	
	6			7			5	
	7		6			4		
8			5			3		
9					2			
		6	7		1		4	

			1					6
8			2	3			9	
5	1							
					5	6		
		4				3		
		2	7					
							4	2
	7			4	6			5
9					7			

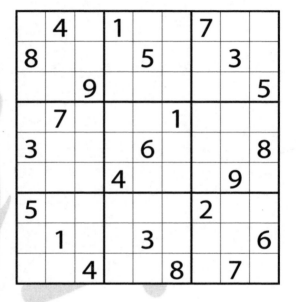

Difficult

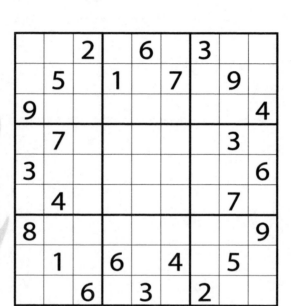

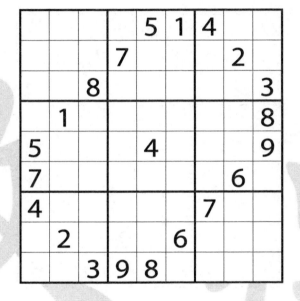

9				3	4			7
		1	2			5		
	2						6	
3							7	
4				1				8
	5							9
	6						5	
		7			3	4		
5			8	9				6

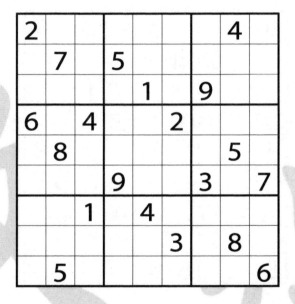

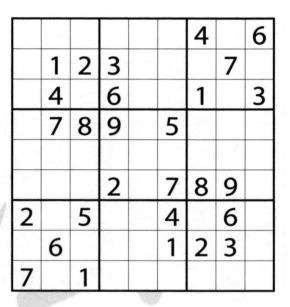

						4		6
	1	2	3				7	
	4		6			1		3
	7	8	9		5			
			2		7	8	9	
2		5			4		6	
	6				1	2	3	
7		1						

	4	5						
				3	6			1
								8
					7	6		
		9	4		3	5		
		2	5					
6								
1			8	2				
						7	3	

		6	9					
			3				4	8
			7					2
		3						6
	4						8	
9						5		
2					6			
7	8				4			
					5	9		

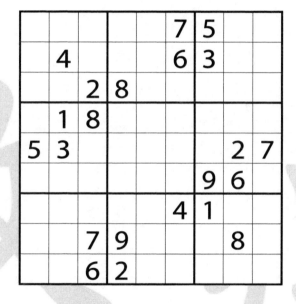

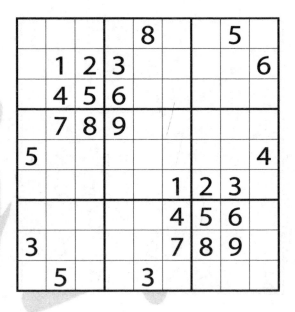

		2	1					3
				8		4		
9		7					2	
8					5			
	6						4	
		3						6
	1					5		8
	5		9					
2					7	9		

	4		6		8		9	
		5	2		1	6		
		7	8		6	4		
		9				7		
		4	5		3	8		
		1	7		9	5		
	8		3		5		2	

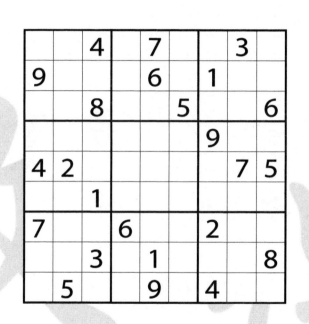

				5	9	4	7	
								5
			7	8				2
2		4				7		6
	8						9	
9		6				5		4
7				9	3			
5								
	3	9	6	2				

8					3	6		
				2		4		
		5		6			2	3
		2	4				5	
		3				7		
	5				9	8		
5	4			8		9		
		8		5				
		1	3					7

						7	6	
7	2	4					8	
3				5			2	
			4		2			
		9				1		
			6		5			
	3			6				9
	9					8	4	7
	7	5						

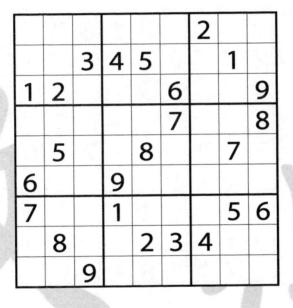

				3	1	8	7	
8			2					
9				5				
2							1	
3		9				2		6
	7							3
				2				8
					6			5
	4	1	7	8				

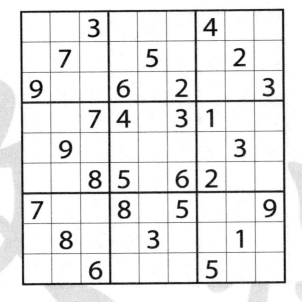

3								2
		9		4		1		
	6	5	2		3	8	4	
		1		7		9		
	7		1		9		2	
		2		3		7		
	8	6	3		7	4	5	
		3		6		2		
5								8

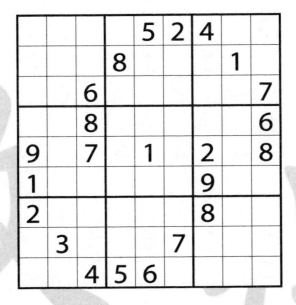

			2				8	
		3		9				5
	4						6	
9						5		
			4		2			
		8						7
	2						4	
7				5		3		
	6				7			

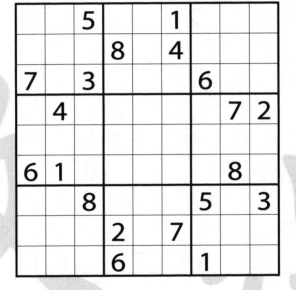

	2				8			5
				9			4	
	1		2			3		
		1						4
	7		3		2		6	
4						9		
		8			4		7	
	3			5				
2			6				8	

7	1						3	8
2	6		4				5	1
					9			
		3					2	
				5				
	8					7		
			1					
3	9				6		7	2
6	7						8	9

				7	8	9		
	4	5	6					
3								
2				5	6			
1		6				7		4
			7	8				5
								6
					9	8	7	
		3	2	1				

Answers

1

7	2	6	4	9	3	8	1	5
3	1	5	7	2	8	9	4	6
4	8	9	6	5	1	2	3	7
8	5	2	1	4	7	6	9	3
6	7	3	9	8	5	1	2	4
9	4	1	3	6	2	7	5	8
1	9	4	8	3	6	5	7	2
5	6	7	2	1	4	3	8	9
2	3	8	5	7	9	4	6	1

2

5	6	3	7	9	2	4	1	8
4	9	1	5	6	8	3	2	7
8	7	2	1	4	3	9	5	6
9	8	7	6	2	5	1	4	3
1	5	6	9	3	4	8	7	2
3	2	4	8	1	7	6	9	5
7	3	9	2	8	1	5	6	4
6	4	5	3	7	9	2	8	1
2	1	8	4	5	6	7	3	9

3

2	5	9	8	4	6	3	7	1
7	4	3	9	5	1	6	8	2
8	1	6	3	7	2	5	4	9
5	6	7	2	3	4	9	1	8
4	8	1	5	9	7	2	6	3
3	9	2	6	1	8	4	5	7
1	7	5	4	2	3	8	9	6
9	2	8	7	6	5	1	3	4
6	3	4	1	8	9	7	2	5

4

7	8	1	2	9	5	6	4	3
5	9	4	6	3	1	7	8	2
6	3	2	8	7	4	9	1	5
8	4	6	1	2	3	5	9	7
2	7	9	4	5	6	1	3	8
3	1	5	7	8	9	2	6	4
4	5	8	9	1	7	3	2	6
1	2	3	5	6	8	4	7	9
9	6	7	3	4	2	8	5	1

5

2	6	7	4	9	3	8	5	1
9	5	1	2	8	6	4	3	7
4	8	3	7	5	1	9	6	2
1	7	6	3	2	8	5	4	9
3	9	5	1	4	7	2	8	6
8	4	2	9	6	5	7	1	3
7	1	8	5	3	2	6	9	4
6	2	4	8	1	9	3	7	5
5	3	9	6	7	4	1	2	8

6

8	9	3	1	7	6	5	4	2
1	7	6	4	5	2	8	9	3
4	5	2	8	3	9	7	1	6
6	1	7	5	8	4	3	2	9
2	4	5	3	9	1	6	8	7
9	3	8	2	6	7	1	5	4
7	2	4	6	1	8	9	3	5
5	8	9	7	2	3	4	6	1
3	6	1	9	4	5	2	7	8

7

1	8	3	4	9	6	5	2	7
2	5	4	3	7	8	9	6	1
9	7	6	5	1	2	4	3	8
8	1	2	7	3	5	6	4	9
6	9	5	8	2	4	1	7	3
4	3	7	1	6	9	8	5	2
5	2	1	6	8	3	7	9	4
3	6	8	9	4	7	2	1	5
7	4	9	2	5	1	3	8	6

8

2	7	3	5	8	4	9	1	6
6	8	5	1	3	9	2	7	4
4	1	9	7	6	2	3	8	5
3	5	4	9	7	6	1	2	8
9	6	8	2	5	1	4	3	7
1	2	7	8	4	3	6	5	9
8	3	2	4	9	7	5	6	1
7	9	6	3	1	5	8	4	2
5	4	1	6	2	8	7	9	3

9

3	5	7	1	9	6	8	2	4
6	9	8	2	5	4	7	1	3
1	4	2	8	3	7	5	9	6
2	3	5	7	8	9	6	4	1
7	6	4	3	1	2	9	8	5
9	8	1	4	6	5	2	3	7
4	7	6	9	2	1	3	5	8
8	1	9	5	7	3	4	6	2
5	2	3	6	4	8	1	7	9

10

4	3	5	6	1	2	7	8	9
6	2	7	9	5	8	4	3	1
9	8	1	7	4	3	2	6	5
1	4	2	3	8	7	5	9	6
8	6	9	4	2	5	1	7	3
7	5	3	1	6	9	8	4	2
3	9	8	2	7	1	6	5	4
5	1	6	8	9	4	3	2	7
2	7	4	5	3	6	9	1	8

11

3	7	4	9	5	1	8	6	2
6	1	9	2	7	8	3	5	4
8	2	5	4	3	6	7	9	1
2	8	7	1	6	4	9	3	5
9	6	1	5	8	3	2	4	7
4	5	3	7	2	9	6	1	8
7	9	2	3	1	5	4	8	6
5	4	8	6	9	2	1	7	3
1	3	6	8	4	7	5	2	9

12

8	4	6	7	5	2	9	3	1
7	2	1	3	4	9	6	5	8
3	9	5	1	8	6	7	4	2
2	6	8	5	9	3	4	1	7
9	1	3	2	7	4	8	6	5
5	7	4	8	6	1	2	9	3
6	3	7	9	2	5	1	8	4
1	8	9	4	3	7	5	2	6
4	5	2	6	1	8	3	7	9

13

7	2	9	5	1	8	6	3	4
6	8	4	3	9	2	5	7	1
5	3	1	4	6	7	2	9	8
3	5	8	7	4	6	9	1	2
9	6	7	2	3	1	8	4	5
4	1	2	8	5	9	7	6	3
1	9	3	6	8	5	4	2	7
2	4	5	9	7	3	1	8	6
8	7	6	1	2	4	3	5	9

14

4	3	5	9	7	8	6	1	2
1	7	2	5	6	4	8	3	9
9	8	6	3	2	1	4	7	5
2	5	7	8	4	3	9	6	1
8	6	4	7	1	9	2	5	3
3	9	1	2	5	6	7	8	4
7	1	9	4	8	5	3	2	6
5	4	8	6	3	2	1	9	7
6	2	3	1	9	7	5	4	8

15

2	7	6	1	9	4	3	8	5
1	3	9	8	7	5	4	2	6
5	8	4	3	6	2	9	7	1
4	9	1	6	3	8	7	5	2
6	5	3	7	2	1	8	9	4
7	2	8	4	5	9	6	1	3
8	4	7	5	1	3	2	6	9
9	6	5	2	4	7	1	3	8
3	1	2	9	8	6	5	4	7

16

4	3	8	5	7	9	6	2	1
9	6	5	1	3	2	7	4	8
7	1	2	4	8	6	3	9	5
3	5	7	9	2	1	4	8	6
8	2	1	6	4	7	9	5	3
6	4	9	8	5	3	2	1	7
1	9	4	3	6	5	8	7	2
2	8	6	7	1	4	5	3	9
5	7	3	2	9	8	1	6	4

17

9	4	7	1	6	2	3	5	8
6	1	3	8	5	7	9	2	4
8	5	2	4	9	3	1	7	6
1	2	9	3	8	4	5	6	7
5	7	8	9	2	6	4	3	1
3	6	4	7	1	5	2	8	9
2	9	1	6	3	8	7	4	5
7	8	5	2	4	1	6	9	3
4	3	6	5	7	9	8	1	2

18

3	7	2	9	5	1	6	8	4
6	4	9	3	2	8	5	7	1
8	5	1	7	6	4	3	9	2
4	1	8	2	7	5	9	3	6
2	3	7	6	1	9	8	4	5
5	9	6	4	8	3	2	1	7
7	8	5	1	9	6	4	2	3
9	2	4	5	3	7	1	6	8
1	6	3	8	4	2	7	5	9

19

4	3	7	9	8	6	5	2	1
6	5	9	1	2	7	8	3	4
8	1	2	5	4	3	6	7	9
2	8	4	7	3	1	9	5	6
5	7	6	4	9	8	2	1	3
3	9	1	6	5	2	7	4	8
7	6	3	8	1	5	4	9	2
9	2	8	3	7	4	1	6	5
1	4	5	2	6	9	3	8	7

20

4	7	3	2	9	6	1	5	8
8	5	6	3	4	1	7	2	9
1	9	2	8	7	5	3	6	4
3	1	5	7	2	4	9	8	6
2	8	9	6	5	3	4	7	1
6	4	7	1	8	9	5	3	2
7	6	1	9	3	2	8	4	5
5	2	8	4	1	7	6	9	3
9	3	4	5	6	8	2	1	7

21

2	3	1	4	5	6	7	8	9
4	5	7	2	8	9	1	3	6
8	6	9	1	3	7	4	2	5
1	7	5	3	6	4	8	9	2
3	4	6	8	9	2	5	7	1
9	8	2	5	7	1	3	6	4
5	2	3	6	4	8	9	1	7
7	1	4	9	2	3	6	5	8
6	9	8	7	1	5	2	4	3

22

4	9	1	2	7	6	8	3	5
8	6	3	1	4	5	9	2	7
5	7	2	9	3	8	6	1	4
1	8	4	5	6	3	7	9	2
9	2	7	8	1	4	5	6	3
3	5	6	7	2	9	1	4	8
6	1	8	3	5	2	4	7	9
7	3	5	4	9	1	2	8	6
2	4	9	6	8	7	3	5	1

23

1	2	9	5	6	3	4	8	7
3	4	6	7	8	1	5	2	9
5	7	8	2	4	9	6	3	1
9	5	1	3	7	8	2	6	4
8	6	2	4	9	5	7	1	3
4	3	7	1	2	6	8	9	5
6	8	3	9	5	7	1	4	2
7	9	4	8	1	2	3	5	6
2	1	5	6	3	4	9	7	8

24

1	2	3	4	5	6	7	8	9
4	6	8	2	7	9	5	3	1
7	9	5	3	8	1	2	4	6
3	5	9	8	6	7	1	2	4
2	1	4	5	9	3	6	7	8
8	7	6	1	4	2	3	9	5
6	3	2	9	1	4	8	5	7
5	4	7	6	3	8	9	1	2
9	8	1	7	2	5	4	6	3

25

6	8	4	1	2	7	9	3	5
2	5	9	6	3	4	1	7	8
3	7	1	9	5	8	2	6	4
1	3	2	4	9	5	7	8	6
4	9	8	7	6	3	5	2	1
5	6	7	8	1	2	4	9	3
7	1	3	5	8	9	6	4	2
9	2	5	3	4	6	8	1	7
8	4	6	2	7	1	3	5	9

26

9	8	2	3	5	7	1	6	4
7	4	5	6	1	9	8	2	3
3	1	6	8	4	2	7	9	5
1	5	7	9	3	8	2	4	6
2	3	9	4	7	6	5	8	1
4	6	8	5	2	1	9	3	7
6	2	4	1	9	5	3	7	8
5	9	3	7	8	4	6	1	2
8	7	1	2	6	3	4	5	9

27

9	5	6	8	3	1	4	2	7
8	1	7	9	2	4	6	5	3
2	4	3	5	7	6	8	1	9
5	9	4	6	8	3	1	7	2
1	7	2	4	5	9	3	8	6
3	6	8	7	1	2	5	9	4
4	8	1	3	9	7	2	6	5
7	3	5	2	6	8	9	4	1
6	2	9	1	4	5	7	3	8

28

8	7	6	4	1	3	2	5	9
4	2	5	9	8	7	6	1	3
9	3	1	5	2	6	7	8	4
1	5	9	6	7	2	3	4	8
6	4	7	8	3	9	5	2	1
3	8	2	1	4	5	9	6	7
7	6	8	2	9	4	1	3	5
5	1	3	7	6	8	4	9	2
2	9	4	3	5	1	8	7	6

29

4	6	2	3	8	5	1	9	7
3	1	5	2	7	9	8	6	4
7	8	9	1	6	4	5	3	2
1	3	7	4	5	8	6	2	9
2	9	6	7	3	1	4	5	8
5	4	8	6	9	2	7	1	3
9	7	1	5	4	3	2	8	6
6	2	3	8	1	7	9	4	5
8	5	4	9	2	6	3	7	1

30

9	1	2	8	4	6	5	7	3
6	8	3	5	7	1	2	9	4
4	5	7	3	2	9	1	6	8
8	2	9	6	1	3	4	5	7
1	6	4	9	5	7	8	3	2
3	7	5	2	8	4	6	1	9
7	4	6	1	9	2	3	8	5
5	9	1	4	3	8	7	2	6
2	3	8	7	6	5	9	4	1

31

2	9	6	8	7	5	1	4	3
8	5	7	3	4	1	9	6	2
4	1	3	9	2	6	7	5	8
3	4	1	7	6	8	2	9	5
6	2	9	4	5	3	8	1	7
5	7	8	1	9	2	4	3	6
7	8	5	6	1	9	3	2	4
1	6	4	2	3	7	5	8	9
9	3	2	5	8	4	6	7	1

32

8	3	2	7	5	6	4	1	9
9	7	5	3	4	1	8	2	6
1	6	4	2	9	8	5	7	3
6	8	3	1	2	4	9	5	7
4	1	9	5	8	7	6	3	2
5	2	7	9	6	3	1	4	8
7	5	8	6	1	2	3	9	4
2	9	6	4	3	5	7	8	1
3	4	1	8	7	9	2	6	5

33

5	2	9	7	8	4	1	6	3
6	1	7	2	3	9	8	4	5
3	4	8	1	5	6	9	2	7
4	8	6	5	2	1	7	3	9
1	9	2	3	6	7	4	5	8
7	5	3	9	4	8	2	1	6
8	3	1	4	7	5	6	9	2
9	7	5	6	1	2	3	8	4
2	6	4	8	9	3	5	7	1

34

5	8	1	4	6	2	7	9	3
9	7	2	1	8	3	5	6	4
4	3	6	5	7	9	8	2	1
2	9	3	6	5	4	1	8	7
8	1	5	2	3	7	9	4	6
7	6	4	9	1	8	2	3	5
6	5	8	3	9	1	4	7	2
1	4	9	7	2	6	3	5	8
3	2	7	8	4	5	6	1	9

35

1	9	4	8	3	2	5	7	6
2	6	8	5	9	7	1	4	3
7	5	3	1	6	4	8	2	9
9	1	6	7	2	8	3	5	4
8	4	2	9	5	3	7	6	1
5	3	7	4	1	6	9	8	2
6	7	1	2	8	9	4	3	5
3	8	9	6	4	5	2	1	7
4	2	5	3	7	1	6	9	8

36

9	7	3	1	4	2	8	5	6
5	6	4	9	7	8	1	3	2
2	1	8	3	5	6	4	7	9
8	9	2	5	6	7	3	4	1
7	5	1	4	9	3	2	6	8
4	3	6	8	2	1	7	9	5
6	8	9	7	1	4	5	2	3
3	4	5	2	8	9	6	1	7
1	2	7	6	3	5	9	8	4

37

1	3	8	6	2	7	4	5	9
4	9	6	3	5	8	1	2	7
2	7	5	9	1	4	6	8	3
8	2	7	5	6	3	9	4	1
9	4	3	2	8	1	5	7	6
6	5	1	4	7	9	2	3	8
3	8	2	1	4	6	7	9	5
7	1	4	8	9	5	3	6	2
5	6	9	7	3	2	8	1	4

38

9	1	7	6	2	5	8	3	4
8	5	4	9	3	7	1	2	6
3	6	2	8	1	4	5	9	7
4	7	5	2	8	9	6	1	3
1	2	3	4	5	6	7	8	9
6	9	8	1	7	3	2	4	5
7	8	6	3	4	2	9	5	1
2	4	9	5	6	1	3	7	8
5	3	1	7	9	8	4	6	2

39

4	6	7	8	2	9	3	1	5
3	8	9	1	6	5	7	4	2
2	5	1	7	4	3	6	8	9
7	4	6	5	1	2	9	3	8
1	2	5	3	9	8	4	6	7
9	3	8	6	7	4	2	5	1
5	1	4	2	3	7	8	9	6
6	9	2	4	8	1	5	7	3
8	7	3	9	5	6	1	2	4

40

1	2	3	4	8	7	9	5	6
6	4	9	5	3	2	8	7	1
8	7	5	6	1	9	4	3	2
2	9	8	7	6	1	5	4	3
3	1	4	2	5	8	6	9	7
5	6	7	9	4	3	2	1	8
7	8	6	1	9	4	3	2	5
9	3	2	8	7	5	1	6	4
4	5	1	3	2	6	7	8	9

41

5	9	4	3	6	1	2	8	7
3	1	6	2	7	8	9	5	4
8	7	2	9	4	5	1	6	3
9	3	7	5	2	4	6	1	8
6	2	5	8	1	7	3	4	9
1	4	8	6	3	9	5	7	2
7	6	9	1	8	2	4	3	5
4	5	3	7	9	6	8	2	1
2	8	1	4	5	3	7	9	6

42

1	6	9	4	2	3	7	5	8
2	4	8	5	7	9	3	1	6
3	7	5	8	1	6	4	9	2
9	1	4	3	6	8	2	7	5
6	3	2	7	5	1	8	4	9
8	5	7	9	4	2	6	3	1
7	2	1	6	3	5	9	8	4
5	8	3	2	9	4	1	6	7
4	9	6	1	8	7	5	2	3

43

3	8	9	4	6	5	1	7	2
4	5	1	9	2	7	6	8	3
2	6	7	8	1	3	5	4	9
7	1	6	2	3	4	9	5	8
8	4	3	1	5	9	7	2	6
9	2	5	6	7	8	3	1	4
6	7	4	5	9	2	8	3	1
1	3	8	7	4	6	2	9	5
5	9	2	3	8	1	4	6	7

44

9	4	5	2	3	1	7	6	8
8	6	2	7	5	9	1	3	4
3	7	1	6	4	8	2	9	5
4	2	8	9	6	7	3	5	1
1	3	9	8	2	5	6	4	7
7	5	6	3	1	4	9	8	2
2	1	4	5	9	3	8	7	6
5	8	3	1	7	6	4	2	9
6	9	7	4	8	2	5	1	3

45

3	8	9	4	6	5	1	7	2
4	5	1	9	2	7	6	8	3
2	6	7	8	1	3	5	4	9
7	1	6	2	3	4	9	5	8
8	4	3	1	5	9	7	2	6
9	2	5	6	7	8	3	1	4
6	7	4	5	9	2	8	3	1
1	3	8	7	4	6	2	9	5
5	9	2	3	8	1	4	6	7

46

1	2	3	5	9	7	4	6	8
7	6	8	2	1	4	3	5	9
5	4	9	8	3	6	2	7	1
8	7	5	6	4	1	9	2	3
3	1	6	9	8	2	5	4	7
4	9	2	3	7	5	1	8	6
9	3	7	4	5	8	6	1	2
2	5	1	7	6	3	8	9	4
6	8	4	1	2	9	7	3	5

47

6	8	7	2	4	9	1	5	3
5	4	2	1	3	6	8	7	9
3	1	9	7	5	8	4	6	2
2	9	5	6	8	1	3	4	7
7	3	1	5	2	4	9	8	6
8	6	4	3	9	7	2	1	5
4	5	3	8	6	2	7	9	1
9	7	6	4	1	3	5	2	8
1	2	8	9	7	5	6	3	4

48

1	2	7	9	3	6	8	5	4
9	5	4	7	1	8	6	3	2
3	8	6	2	5	4	7	9	1
5	6	9	1	7	3	2	4	8
4	1	8	5	6	2	9	7	3
7	3	2	8	4	9	1	6	5
6	4	1	3	2	7	5	8	9
8	7	5	4	9	1	3	2	6
2	9	3	6	8	5	4	1	7

49

2	7	3	4	1	9	5	8	6
9	5	6	8	7	3	4	2	1
1	4	8	5	2	6	7	9	3
7	8	1	9	5	4	6	3	2
6	2	4	3	8	7	1	5	9
5	3	9	1	6	2	8	7	4
4	1	7	2	9	5	3	6	8
3	9	5	6	4	8	2	1	7
8	6	2	7	3	1	9	4	5

50

9	8	7	5	6	1	3	2	4
1	2	4	3	7	8	9	5	6
5	3	6	9	2	4	7	1	8
8	9	5	7	1	2	4	6	3
4	7	1	6	3	9	5	8	2
2	6	3	8	4	5	1	7	9
3	5	9	1	8	6	2	4	7
6	1	2	4	9	7	8	3	5
7	4	8	2	5	3	6	9	1

51

7	3	5	8	6	9	2	1	4
9	8	1	7	2	4	6	3	5
2	6	4	1	3	5	8	9	7
8	5	7	9	4	1	3	2	6
3	4	2	6	8	7	9	5	1
1	9	6	3	5	2	7	4	8
6	2	3	4	1	8	5	7	9
4	7	8	5	9	3	1	6	2
5	1	9	2	7	6	4	8	3

52

8	2	5	3	7	1	9	6	4
9	4	3	6	2	5	8	7	1
1	6	7	8	9	4	2	5	3
3	5	9	2	8	7	1	4	6
6	1	2	4	5	3	7	8	9
4	7	8	1	6	9	5	3	2
5	8	4	9	1	6	3	2	7
7	9	6	5	3	2	4	1	8
2	3	1	7	4	8	6	9	5

53

7	6	8	3	4	1	2	9	5
9	3	2	8	6	5	7	4	1
5	1	4	9	2	7	6	8	3
2	8	9	1	5	3	4	7	6
3	5	7	4	9	6	1	2	8
1	4	6	7	8	2	5	3	9
6	7	5	2	3	9	8	1	4
8	2	3	6	1	4	9	5	7
4	9	1	5	7	8	3	6	2

54

4	1	2	3	7	9	5	6	8
8	5	3	6	4	1	9	2	7
9	7	6	5	2	8	1	4	3
7	2	5	9	1	3	6	8	4
3	9	4	7	8	6	2	5	1
1	6	8	4	5	2	3	7	9
2	8	7	1	9	5	4	3	6
5	3	9	8	6	4	7	1	2
6	4	1	2	3	7	8	9	5

55

7	6	1	8	3	2	9	4	5
8	9	3	4	7	5	6	1	2
4	2	5	1	6	9	3	7	8
5	1	6	3	2	4	7	8	9
3	4	9	6	8	7	2	5	1
2	8	7	5	9	1	4	3	6
1	7	8	9	4	6	5	2	3
9	5	4	2	1	3	8	6	7
6	3	2	7	5	8	1	9	4

56

3	4	9	2	1	8	6	7	5
5	2	7	9	4	6	8	3	1
8	1	6	3	7	5	4	9	2
9	3	2	5	8	7	1	6	4
7	6	1	4	2	3	5	8	9
4	8	5	1	6	9	7	2	3
6	5	3	7	9	4	2	1	8
1	7	4	8	3	2	9	5	6
2	9	8	6	5	1	3	4	7

57

3	9	1	4	6	7	5	2	8
8	7	4	2	1	5	6	3	9
2	5	6	8	3	9	1	7	4
9	8	5	3	2	1	7	4	6
4	2	3	6	7	8	9	5	1
1	6	7	5	9	4	2	8	3
6	1	8	7	5	3	4	9	2
5	4	2	9	8	6	3	1	7
7	3	9	1	4	2	8	6	5

58

8	2	5	1	7	3	4	6	9
3	4	7	8	6	9	1	2	5
9	6	1	5	4	2	8	7	3
2	3	9	7	8	5	6	1	4
1	7	8	4	3	6	9	5	2
4	5	6	9	2	1	3	8	7
6	1	4	3	5	7	2	9	8
7	8	2	6	9	4	5	3	1
5	9	3	2	1	8	7	4	6

59

8	7	6	4	3	2	1	5	9
1	4	5	6	8	9	3	7	2
3	9	2	1	5	7	8	4	6
2	5	1	7	4	6	9	3	8
4	3	8	2	9	5	7	6	1
7	6	9	3	1	8	5	2	4
5	1	7	8	2	4	6	9	3
6	8	4	9	7	3	2	1	5
9	2	3	5	6	1	4	8	7

60

4	3	2	8	5	6	1	9	7
1	7	5	2	9	3	4	8	6
8	6	9	4	1	7	5	3	2
6	2	3	5	7	9	8	4	1
5	1	7	6	8	4	9	2	3
9	8	4	3	2	1	7	6	5
7	9	6	1	3	8	2	5	4
2	4	8	7	6	5	3	1	9
3	5	1	9	4	2	6	7	8

61

6	9	1	7	2	8	3	4	5
4	2	5	3	6	1	7	9	8
7	3	8	4	9	5	1	6	2
1	8	2	6	3	9	4	5	7
9	7	4	8	5	2	6	3	1
3	5	6	1	7	4	8	2	9
8	4	9	5	1	6	2	7	3
2	1	3	9	4	7	5	8	6
5	6	7	2	8	3	9	1	4

62

2	8	3	4	6	9	5	1	7
6	9	7	1	5	2	3	4	8
4	5	1	8	3	7	6	9	2
7	1	9	5	2	8	4	6	3
5	6	4	9	7	3	2	8	1
3	2	8	6	1	4	7	5	9
9	7	6	2	4	1	8	3	5
8	4	2	3	9	5	1	7	6
1	3	5	7	8	6	9	2	4

63

6	3	7	4	1	2	8	5	9
1	4	2	9	5	8	7	6	3
8	5	9	6	7	3	4	2	1
4	2	5	3	6	7	9	1	8
7	6	3	8	9	1	2	4	5
9	1	8	2	4	5	3	7	6
5	7	4	1	3	9	6	8	2
3	8	1	7	2	6	5	9	4
2	9	6	5	8	4	1	3	7

64

8	5	3	6	9	4	7	1	2
7	9	4	1	3	2	5	8	6
2	6	1	7	5	8	4	3	9
3	7	6	9	8	5	1	2	4
9	4	8	2	6	1	3	5	7
5	1	2	3	4	7	6	9	8
4	3	9	8	1	6	2	7	5
1	2	5	4	7	9	8	6	3
6	8	7	5	2	3	9	4	1

65

6	3	2	8	4	7	1	9	5
5	7	9	2	1	6	3	8	4
1	8	4	3	5	9	2	6	7
2	1	8	4	7	5	9	3	6
3	4	6	1	9	8	7	5	2
9	5	7	6	3	2	4	1	8
8	9	1	7	6	4	5	2	3
4	6	5	9	2	3	8	7	1
7	2	3	5	8	1	6	4	9

66

6	9	3	2	8	1	7	5	4
8	5	1	3	7	4	9	2	6
7	4	2	5	9	6	1	3	8
1	2	5	9	3	8	6	4	7
3	8	4	7	6	2	5	9	1
9	6	7	4	1	5	3	8	2
2	7	9	1	4	3	8	6	5
5	3	8	6	2	7	4	1	9
4	1	6	8	5	9	2	7	3

67

2	8	7	6	4	3	5	9	1
4	9	6	5	1	7	3	2	8
5	3	1	9	8	2	6	4	7
1	7	4	3	9	8	2	5	6
3	5	2	4	6	1	7	8	9
9	6	8	2	7	5	4	1	3
7	4	9	1	5	6	8	3	2
8	2	5	7	3	9	1	6	4
6	1	3	8	2	4	9	7	5

68

3	9	5	1	6	2	7	8	4
6	4	1	7	9	8	2	5	3
2	7	8	5	4	3	1	6	9
7	5	2	4	3	9	6	1	8
4	8	9	6	1	7	3	2	5
1	3	6	2	8	5	9	4	7
8	1	3	9	5	6	4	7	2
9	2	4	8	7	1	5	3	6
5	6	7	3	2	4	8	9	1

69

5	6	9	3	2	4	7	1	8
3	1	4	9	7	8	2	5	6
2	7	8	1	6	5	4	9	3
8	9	2	5	4	1	6	3	7
1	4	7	6	3	2	5	8	9
6	5	3	7	8	9	1	4	2
7	8	6	4	5	3	9	2	1
4	3	1	2	9	7	8	6	5
9	2	5	8	1	6	3	7	4

70

9	6	4	7	2	5	3	8	1
5	8	7	4	3	1	9	6	2
2	3	1	8	6	9	7	5	4
6	5	2	9	7	8	4	1	3
1	7	8	2	4	3	5	9	6
4	9	3	1	5	6	8	2	7
7	2	6	5	9	4	1	3	8
3	1	9	6	8	7	2	4	5
8	4	5	3	1	2	6	7	9

71

6	1	8	3	7	5	2	4	9
4	3	5	9	1	2	7	6	8
2	9	7	8	4	6	3	1	5
9	2	3	4	5	8	1	7	6
5	4	1	6	9	7	8	3	2
7	8	6	1	2	3	9	5	4
1	5	4	2	3	9	6	8	7
8	7	9	5	6	1	4	2	3
3	6	2	7	8	4	5	9	1

72

4	3	8	9	1	5	2	7	6
1	6	9	3	2	7	5	8	4
7	5	2	8	6	4	3	1	9
5	8	3	6	9	2	7	4	1
9	1	7	4	8	3	6	5	2
2	4	6	7	5	1	8	9	3
6	7	1	5	3	9	4	2	8
8	9	5	2	4	6	1	3	7
3	2	4	1	7	8	9	6	5

73

6	1	2	5	8	4	9	7	3
8	7	4	3	9	1	6	2	5
9	5	3	2	6	7	1	4	8
3	2	8	9	1	6	4	5	7
7	9	1	4	5	3	2	8	6
4	6	5	8	7	2	3	9	1
5	3	9	1	4	8	7	6	2
1	8	7	6	2	9	5	3	4
2	4	6	7	3	5	8	1	9

74

6	4	9	2	7	5	3	1	8
2	3	1	8	6	4	5	9	7
7	5	8	3	1	9	2	6	4
9	8	2	1	4	3	6	7	5
3	1	7	6	5	8	9	4	2
5	6	4	9	2	7	1	8	3
8	9	5	7	3	6	4	2	1
4	2	6	5	8	1	7	3	9
1	7	3	4	9	2	8	5	6

75

1	3	5	2	9	4	8	6	7
2	4	9	8	7	6	5	3	1
8	6	7	1	3	5	9	2	4
9	1	6	4	2	8	3	7	5
4	2	3	7	5	1	6	9	8
5	7	8	9	6	3	4	1	2
7	8	4	6	1	9	2	5	3
6	5	1	3	8	2	7	4	9
3	9	2	5	4	7	1	8	6

76

5	7	8	4	1	2	6	9	3
1	6	4	7	3	9	2	8	5
2	3	9	6	8	5	7	1	4
6	1	3	8	2	4	9	5	7
9	5	2	1	7	3	8	4	6
4	8	7	5	9	6	1	3	2
8	4	1	3	6	7	5	2	9
7	2	5	9	4	8	3	6	1
3	9	6	2	5	1	4	7	8

77

7	9	2	3	5	8	4	1	6
1	3	5	6	4	2	7	8	9
4	8	6	1	9	7	5	2	3
9	7	1	8	6	4	3	5	2
3	5	4	2	1	9	8	6	7
6	2	8	7	3	5	1	9	4
8	6	9	4	7	1	2	3	5
2	4	3	5	8	6	9	7	1
5	1	7	9	2	3	6	4	8

78

7	8	9	3	4	1	6	2	5
4	5	2	6	7	8	9	1	3
3	1	6	9	2	5	8	7	4
6	7	4	1	8	9	5	3	2
1	2	3	4	5	6	7	8	9
5	9	8	2	3	7	1	4	6
9	3	7	8	6	4	2	5	1
2	6	5	7	1	3	4	9	8
8	4	1	5	9	2	3	6	7

79

6	3	8	5	9	1	4	7	2
7	2	1	4	6	3	5	8	9
9	4	5	7	2	8	6	3	1
1	9	3	2	5	4	8	6	7
4	6	2	8	1	7	9	5	3
5	8	7	6	3	9	2	1	4
3	1	4	9	8	5	7	2	6
8	7	6	1	4	2	3	9	5
2	5	9	3	7	6	1	4	8

80

9	6	3	5	2	7	4	1	8
1	8	2	9	4	3	7	5	6
4	7	5	8	1	6	9	2	3
7	3	1	4	6	5	8	9	2
5	4	8	7	9	2	6	3	1
6	2	9	1	3	8	5	4	7
8	9	4	2	7	1	3	6	5
3	1	7	6	5	9	2	8	4
2	5	6	3	8	4	1	7	9

81

4	9	2	6	5	7	1	3	8
3	5	6	1	8	4	7	2	9
7	1	8	3	2	9	5	4	6
5	3	9	7	1	6	4	8	2
6	8	7	4	3	2	9	5	1
2	4	1	8	9	5	6	7	3
9	2	4	5	6	8	3	1	7
1	6	5	2	7	3	8	9	4
8	7	3	9	4	1	2	6	5

82

6	4	5	1	7	8	2	9	3
9	1	2	6	4	3	7	5	8
7	3	8	5	9	2	1	6	4
4	2	9	3	8	1	6	7	5
3	7	1	9	5	6	4	8	2
5	8	6	4	2	7	9	3	1
1	6	4	7	3	5	8	2	9
8	5	7	2	1	9	3	4	6
2	9	3	8	6	4	5	1	7

83

8	5	1	9	3	6	2	4	7
4	6	3	5	7	2	1	8	9
7	2	9	4	1	8	6	5	3
9	7	2	6	5	1	4	3	8
1	3	8	2	9	4	7	6	5
6	4	5	3	8	7	9	2	1
5	9	6	7	4	3	8	1	2
2	8	7	1	6	5	3	9	4
3	1	4	8	2	9	5	7	6

84

4	3	1	7	9	6	8	5	2
9	7	6	2	5	8	1	4	3
5	2	8	4	1	3	7	6	9
3	6	9	5	4	1	2	7	8
2	8	4	6	7	9	5	3	1
7	1	5	8	3	2	6	9	4
6	5	2	9	8	4	3	1	7
1	9	7	3	2	5	4	8	6
8	4	3	1	6	7	9	2	5

85

6	7	2	9	8	4	3	5	1
8	1	3	7	2	5	9	6	4
5	9	4	6	1	3	7	8	2
2	5	1	4	7	6	8	9	3
3	4	9	2	5	8	6	1	7
7	6	8	3	9	1	4	2	5
1	2	7	8	4	9	5	3	6
9	3	5	1	6	7	2	4	8
4	8	6	5	3	2	1	7	9

86

2	1	5	9	6	7	8	3	4
3	8	7	5	4	1	6	9	2
9	6	4	3	8	2	5	7	1
7	2	8	4	5	3	1	6	9
4	9	1	6	2	8	7	5	3
6	5	3	7	1	9	2	4	8
8	4	9	2	7	6	3	1	5
5	7	2	1	3	4	9	8	6
1	3	6	8	9	5	4	2	7

87

9	4	7	5	1	2	3	8	6
3	8	5	6	9	7	2	1	4
2	1	6	8	4	3	7	9	5
6	3	9	4	5	1	8	2	7
1	5	2	7	8	6	9	4	3
8	7	4	2	3	9	6	5	1
4	9	1	3	7	8	5	6	2
7	6	8	1	2	5	4	3	9
5	2	3	9	6	4	1	7	8

88

6	8	7	9	4	1	3	2	5
4	5	2	7	3	6	9	8	1
3	9	1	2	8	5	6	7	4
9	6	3	4	2	8	5	1	7
2	7	8	5	1	9	4	6	3
5	1	4	3	6	7	2	9	8
8	3	9	6	7	4	1	5	2
1	2	5	8	9	3	7	4	6
7	4	6	1	5	2	8	3	9

89

7	3	6	1	8	5	9	2	4
4	1	9	2	6	7	5	3	8
2	5	8	3	4	9	1	6	7
1	6	2	8	5	3	4	7	9
8	7	4	6	9	1	2	5	3
5	9	3	4	7	2	6	8	1
3	4	1	7	2	6	8	9	5
9	2	7	5	1	8	3	4	6
6	8	5	9	3	4	7	1	2

90

6	4	5	9	7	8	2	3	1
8	2	7	4	1	3	5	9	6
1	3	9	6	2	5	8	7	4
3	8	6	1	4	2	7	5	9
9	1	2	5	6	7	3	4	8
5	7	4	8	3	9	6	1	2
2	9	3	7	8	1	4	6	5
4	5	8	3	9	6	1	2	7
7	6	1	2	5	4	9	8	3

91

9	1	4	6	5	7	8	2	3
8	2	7	4	3	9	6	5	1
3	6	5	1	8	2	4	9	7
6	9	3	8	1	4	5	7	2
1	4	8	7	2	5	9	3	6
5	7	2	9	6	3	1	4	8
4	8	9	3	7	6	2	1	5
7	5	1	2	9	8	3	6	4
2	3	6	5	4	1	7	8	9

92

6	9	8	1	4	2	3	7	5
3	4	5	7	9	8	1	6	2
7	1	2	5	6	3	8	9	4
4	7	6	2	3	5	9	1	8
1	2	3	6	8	9	4	5	7
8	5	9	4	1	7	2	3	6
9	8	7	3	5	4	6	2	1
2	3	1	8	7	6	5	4	9
5	6	4	9	2	1	7	8	3

93

1	5	9	8	3	2	6	7	4
4	7	8	1	6	9	5	2	3
3	6	2	4	7	5	8	9	1
8	3	1	9	2	6	4	5	7
5	2	6	7	4	8	3	1	9
9	4	7	5	1	3	2	6	8
2	1	4	6	8	7	9	3	5
6	8	5	3	9	1	7	4	2
7	9	3	2	5	4	1	8	6

94

2	8	1	3	5	7	9	4	6
9	5	7	4	1	6	8	2	3
6	4	3	8	9	2	7	5	1
3	2	9	1	7	4	6	8	5
1	6	5	2	3	8	4	7	9
8	7	4	9	6	5	3	1	2
5	1	6	7	8	9	2	3	4
4	9	8	5	2	3	1	6	7
7	3	2	6	4	1	5	9	8

95

9	8	1	5	2	3	4	7	6
4	3	7	9	6	1	2	8	5
6	2	5	4	8	7	3	9	1
3	4	8	1	9	2	6	5	7
2	5	9	7	3	6	1	4	8
1	7	6	8	4	5	9	2	3
5	1	3	2	7	9	8	6	4
7	9	4	6	1	8	5	3	2
8	6	2	3	5	4	7	1	9

96

2	3	4	9	8	6	1	5	7
6	5	8	1	4	7	3	2	9
7	9	1	3	5	2	8	6	4
5	6	3	2	7	8	4	9	1
8	7	9	6	1	4	2	3	5
4	1	2	5	3	9	6	7	8
1	2	6	8	9	5	7	4	3
9	8	7	4	2	3	5	1	6
3	4	5	7	6	1	9	8	2

97

4	5	2	8	7	9	3	1	6
6	1	8	3	5	2	4	9	7
7	9	3	6	1	4	5	2	8
3	7	1	5	2	6	8	4	9
9	8	6	4	3	1	2	7	5
5	2	4	7	9	8	6	3	1
1	6	7	2	4	5	9	8	3
8	4	9	1	6	3	7	5	2
2	3	5	9	8	7	1	6	4

98

7	3	1	2	8	6	5	9	4
5	9	2	3	4	7	6	1	8
6	8	4	1	5	9	2	3	7
4	2	5	9	1	8	7	6	3
1	6	8	4	7	3	9	5	2
3	7	9	6	2	5	4	8	1
8	1	7	5	9	4	3	2	6
9	4	3	8	6	2	1	7	5
2	5	6	7	3	1	8	4	9

99

4	2	3	1	5	9	8	7	6
8	6	7	2	3	4	5	9	1
5	1	9	6	7	8	2	3	4
7	3	8	4	1	5	6	2	9
6	5	4	9	8	2	3	1	7
1	9	2	7	6	3	4	5	8
3	8	6	5	9	1	7	4	2
2	7	1	3	4	6	9	8	5
9	4	5	8	2	7	1	6	3

100

6	4	5	1	2	3	7	8	9
8	2	1	9	5	7	6	3	4
7	3	9	8	4	6	1	2	5
4	7	8	3	9	1	5	6	2
3	9	2	7	6	5	4	1	8
1	5	6	4	8	2	3	9	7
5	8	3	6	7	9	2	4	1
9	1	7	2	3	4	8	5	6
2	6	4	5	1	8	9	7	3

101

7	8	2	4	6	9	3	1	5
4	5	3	1	2	7	6	9	8
9	6	1	3	5	8	7	2	4
1	7	8	9	4	6	5	3	2
3	2	9	7	1	5	4	8	6
6	4	5	2	8	3	9	7	1
8	3	4	5	7	2	1	6	9
2	1	7	6	9	4	8	5	3
5	9	6	8	3	1	2	4	7

102

2	3	6	8	5	1	4	9	7
9	4	5	7	6	3	8	2	1
1	7	8	2	9	4	6	5	3
3	1	9	6	7	2	5	4	8
5	6	2	1	4	8	3	7	9
7	8	4	5	3	9	1	6	2
4	9	1	3	2	5	7	8	6
8	2	7	4	1	6	9	3	5
6	5	3	9	8	7	2	1	4

103

9	8	5	6	3	4	2	1	7
6	3	1	2	8	7	5	9	4
7	2	4	1	5	9	8	6	3
3	1	9	4	2	8	6	7	5
4	7	6	9	1	5	3	2	8
2	5	8	3	7	6	1	4	9
8	6	3	7	4	2	9	5	1
1	9	7	5	6	3	4	8	2
5	4	2	8	9	1	7	3	6

104

2	1	9	3	6	7	5	4	8
4	7	8	5	2	9	6	3	1
5	6	3	4	1	8	9	7	2
6	3	4	7	5	2	8	1	9
9	8	7	1	3	6	2	5	4
1	2	5	9	8	4	3	6	7
8	9	1	6	4	5	7	2	3
7	4	6	2	9	3	1	8	5
3	5	2	8	7	1	4	9	6

105

5	8	3	1	7	9	4	2	6
6	1	2	3	4	8	5	7	9
9	4	7	6	5	2	1	8	3
4	7	8	9	6	5	3	1	2
1	2	9	4	8	3	6	5	7
3	5	6	2	1	7	8	9	4
2	9	5	8	3	4	7	6	1
8	6	4	7	9	1	2	3	5
7	3	1	5	2	6	9	4	8

106

9	4	5	1	8	2	3	7	6
2	8	7	9	3	6	4	5	1
3	1	6	7	5	4	2	9	8
4	5	1	2	9	7	6	8	3
8	6	9	4	1	3	5	2	7
7	3	2	5	6	8	1	4	9
6	2	4	3	7	9	8	1	5
1	7	3	8	2	5	9	6	4
5	9	8	6	4	1	7	3	2

107

3	2	6	9	4	8	7	1	5
1	7	9	3	5	2	6	4	8
4	5	8	7	6	1	3	9	2
8	1	3	5	2	9	4	7	6
5	4	7	6	1	3	2	8	9
9	6	2	4	8	7	5	3	1
2	9	4	1	3	6	8	5	7
7	8	5	2	9	4	1	6	3
6	3	1	8	7	5	9	2	4

108

8	6	1	3	4	7	5	9	2
9	4	5	1	2	6	3	7	8
3	7	2	8	5	9	6	1	4
6	1	8	7	9	2	4	3	5
5	3	9	4	6	1	8	2	7
7	2	4	5	3	8	9	6	1
2	8	3	6	7	4	1	5	9
4	5	7	9	1	3	2	8	6
1	9	6	2	8	5	7	4	3

109

7	6	3	4	8	2	1	5	9
9	1	2	3	7	5	4	8	6
8	4	5	6	1	9	3	2	7
2	7	8	9	4	3	6	1	5
5	3	1	8	2	6	9	7	4
4	9	6	7	5	1	2	3	8
1	8	7	2	9	4	5	6	3
3	2	4	5	6	7	8	9	1
6	5	9	1	3	8	7	4	2

110

4	5	2	1	7	9	6	8	3
1	3	6	5	8	2	4	9	7
9	8	7	4	3	6	1	2	5
8	2	4	7	6	5	3	1	9
5	6	3	9	1	8	7	4	2
7	9	1	3	2	4	8	5	6
6	1	9	2	4	3	5	7	8
3	7	5	8	9	1	2	6	4
2	4	8	6	5	7	9	3	1

111

1	4	2	6	5	8	3	9	7
6	3	8	9	4	7	2	5	1
9	7	5	2	3	1	6	4	8
3	5	7	8	9	6	4	1	2
8	6	9	1	2	4	7	3	5
2	1	4	5	7	3	8	6	9
4	2	1	7	6	9	5	8	3
5	9	3	4	8	2	1	7	6
7	8	6	3	1	5	9	2	4

112

5	6	4	2	7	1	8	3	9
9	3	7	4	6	8	1	5	2
2	1	8	9	3	5	7	4	6
8	7	5	3	4	6	9	2	1
4	2	6	1	8	9	3	7	5
3	9	1	5	2	7	6	8	4
7	8	9	6	5	4	2	1	3
6	4	3	7	1	2	5	9	8
1	5	2	8	9	3	4	6	7

113

6	2	8	1	5	9	4	7	3
1	9	7	3	4	2	8	6	5
4	5	3	7	8	6	9	1	2
2	1	4	9	3	5	7	8	6
3	8	5	4	6	7	2	9	1
9	7	6	2	1	8	5	3	4
7	4	1	5	9	3	6	2	8
5	6	2	8	7	1	3	4	9
8	3	9	6	2	4	1	5	7

114

8	2	9	1	4	3	6	7	5
3	1	6	5	2	7	4	9	8
4	7	5	9	6	8	1	2	3
1	8	2	4	7	6	3	5	9
6	9	3	8	1	5	7	4	2
7	5	4	2	3	9	8	1	6
5	4	7	6	8	2	9	3	1
9	3	8	7	5	1	2	6	4
2	6	1	3	9	4	5	8	7

115

9	5	1	2	8	4	7	6	3
7	2	4	1	3	6	9	8	5
3	6	8	7	5	9	4	2	1
5	1	3	4	9	2	6	7	8
6	4	9	3	7	8	1	5	2
2	8	7	6	1	5	3	9	4
4	3	2	8	6	7	5	1	9
1	9	6	5	2	3	8	4	7
8	7	5	9	4	1	2	3	6

116

4	6	7	8	1	9	2	3	5
8	9	3	4	5	2	6	1	7
1	2	5	3	7	6	8	4	9
9	3	1	2	4	7	5	6	8
2	5	4	6	8	1	9	7	3
6	7	8	9	3	5	1	2	4
7	4	2	1	9	8	3	5	6
5	8	6	7	2	3	4	9	1
3	1	9	5	6	4	7	8	2

7

4	2	5	6	3	1	8	7	9
8	1	6	2	7	9	3	5	4
9	3	7	8	5	4	6	2	1
2	6	4	3	9	8	5	1	7
3	5	9	4	1	7	2	8	6
1	7	8	5	6	2	4	9	3
6	9	3	1	2	5	7	4	8
7	8	2	9	4	6	1	3	5
5	4	1	7	8	3	9	6	2

118

8	2	3	9	1	7	4	6	5
6	7	4	3	5	8	9	2	1
9	5	1	6	4	2	8	7	3
2	6	7	4	9	3	1	5	8
4	9	5	2	8	1	7	3	6
1	3	8	5	7	6	2	9	4
7	1	2	8	6	5	3	4	9
5	8	9	7	3	4	6	1	2
3	4	6	1	2	9	5	8	7

119

3	1	4	9	8	6	5	7	2
8	2	9	7	4	5	1	6	3
7	6	5	2	1	3	8	4	9
4	3	1	6	7	2	9	8	5
6	7	8	1	5	9	3	2	4
9	5	2	8	3	4	7	1	6
2	8	6	3	9	7	4	5	1
1	4	3	5	6	8	2	9	7
5	9	7	4	2	1	6	3	8

120

7	1	3	6	5	2	4	8	9
4	2	9	8	7	3	6	1	5
5	8	6	1	9	4	3	2	7
3	4	8	9	2	5	1	7	6
9	5	7	3	1	6	2	4	8
1	6	2	7	4	8	9	5	3
2	7	5	4	3	9	8	6	1
6	3	1	2	8	7	5	9	4
8	9	4	5	6	1	7	3	2

121

6	9	7	2	4	5	1	8	3
2	1	3	8	9	6	4	7	5
8	4	5	7	3	1	2	6	9
9	7	2	3	6	8	5	1	4
1	5	6	4	7	2	9	3	8
4	3	8	5	1	9	6	2	7
5	2	9	1	8	3	7	4	6
7	8	1	6	5	4	3	9	2
3	6	4	9	2	7	8	5	1

122

4	9	5	7	6	1	2	3	8
1	2	6	8	3	4	7	5	9
7	8	3	9	2	5	6	4	1
8	4	9	5	1	6	3	7	2
5	3	2	4	7	8	9	1	6
6	1	7	3	9	2	4	8	5
2	7	8	1	4	9	5	6	3
3	6	1	2	5	7	8	9	4
9	5	4	6	8	3	1	2	7

123

9	2	6	4	3	8	7	1	5
8	5	3	7	9	1	6	4	2
7	1	4	2	6	5	3	9	8
3	6	1	9	8	7	2	5	4
5	7	9	3	4	2	8	6	1
4	8	2	5	1	6	9	3	7
6	9	8	1	2	4	5	7	3
1	3	7	8	5	9	4	2	6
2	4	5	6	7	3	1	8	9

124

7	1	9	6	2	5	4	3	8
2	6	8	4	7	3	9	5	1
4	3	5	8	1	9	2	6	7
9	4	3	7	6	1	8	2	5
1	2	7	3	5	8	6	9	4
5	8	6	9	4	2	7	1	3
8	5	2	1	9	7	3	4	6
3	9	4	5	8	6	1	7	2
6	7	1	2	3	4	5	8	9

6	2	1	5	7	8	9	4	3
7	4	5	6	9	3	2	1	8
3	9	8	1	2	4	5	6	7
2	8	7	4	5	6	3	9	1
1	5	6	9	3	2	7	8	4
4	3	9	7	8	1	6	2	5
9	7	2	8	4	5	1	3	6
5	1	4	3	6	9	8	7	2
8	6	3	2	1	7	4	5	9

THE WORLD'S BEST SUDOKU MAGAZINE

Sudoku puzzles first appeared in Japan, about twenty years ago, in magazines and books published by Nikoli. Their puzzles are all hand-made.

With hand-made puzzles, there's a sense of communication between solver and author. Good authors always consider the solver. Indeed, the solving process is an author's chief concern. Our Sudoku puzzles are always created with a structured plan in mind, to guarantee enjoyment throughout the solving process. The solver will be continually surprised and delighted by the variety of techniques that must be employed in order to solve the puzzles.

The solver's enjoyment is of paramount importance. We are concerned that the proliferation of poor-quality, computer-generated Sudoku puzzles – which take no account of solvers – will overwhelm us all, and that the joy of pure Sudoku will be lost forever.

This is the only magazine to publish only hand-made puzzles, and the only place where you can enjoy the craft and elegance that underpins the world's best Sudoku puzzles.

Other bewildering brainteasers in the Puzzler range:

Advanced Sudoku
1 84442 298 4
£6.99

Puzzler Crosswords
1 84442 579 7
£5.99

Puzzler Classic Puzzles
1 84442 580 0
£5.99

Puzzler Code Crackers
1 84442 582 7
£5.99

Puzzler Quick Puzzles
1 84442 581 9
£5.99

Available from all good bookshops.